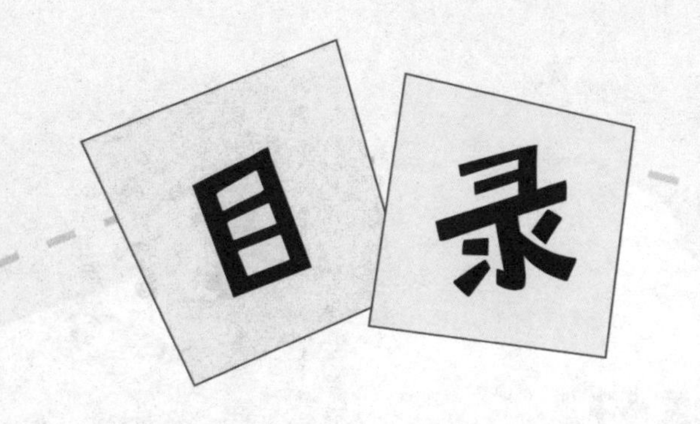

# 目录

## 一 你认识情绪吗？


- 没有情绪的拉比特 …… 2
- 情绪是什么 …… 8
- 复杂的情绪 …… 14
- 神奇的情绪天气 …… 22

## 二 可以发现的情绪


- 哈姆和梅恩 …… 32
- 妹妹生气真可怕 …… 42

## 三 接受情绪多样性


- 奇怪的兄弟 58
- 伤心游乐场 64

## 四 情绪释放有妙招！

- 不要排斥负面情绪 74
- 神奇的情绪魔法盒 82


## 五 怎么调整情绪呢？


- 糟糕情绪处理室 94
- 珍惜情绪的美好 111

# 我的情绪你好吗？

邓 娟著

**图书在版编目（CIP）数据**

我的情绪你好吗？ / 邓娟著. -- 南昌：二十一世纪出版社集团, 2021.12（2022.5重印）
（28天儿童自理能力养成系列）
ISBN 978-7-5568-6272-6

Ⅰ. ①我… Ⅱ. ①邓… Ⅲ. ①儿童故事 – 图画故事 – 中国 – 当代 Ⅳ. ①I287.8

中国版本图书馆CIP数据核字（2021）第217484号

# 我的情绪你好吗？
WO DE QINGXU NI HAO MA?

邓 娟 著

出 版 人　刘凯军
责任编辑　刘莎莎
特约编辑　黎婉婷
装帧设计　许馥琳

出版发行　二十一世纪出版社集团（南昌市子安路75号 330025）
网　　址　www.21cccc.com
经　　销　全国新华书店
印　　刷　广州市樱华印务有限公司
版　　次　2021年12月第1版
印　　次　2022年5月第3次印刷
开　　本　787 mm × 1092 mm　1/16
印　　张　30
字　　数　375千字
书　　号　ISBN 978-7-5568-6272-6
定　　价　168.00元（全4册）

一
你认识情绪吗？
情绪可以吃吗？

# 没有情绪的拉比特

坐在星际飞船上的拉比特正要赶往β星球执行任务。

“我生气了！你就是故意踩我脚！”“我没有！”“你最好给我道歉！”“不可能！”……

人类乘客舱传来激烈的争吵声，拉比特有点困惑，人类是什么奇怪的生物？“生气”是什么东西，有这么大的能量？

在拉比特生活的星球上，没有“生气”这个词，大家也没有“生气”的感觉。

这时谁都没有注意，一块小石头正向飞船袭来。“危险！危险！”飞船发出红色警报，在剧烈的晃动中，拉比特不小心撞到了头顶，随后陷入了沉睡。

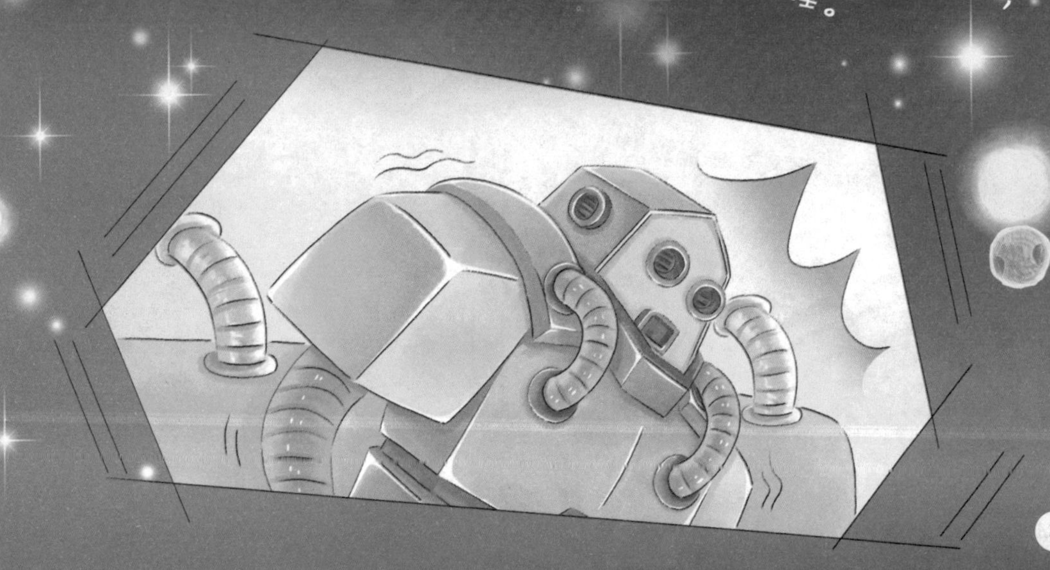

在公园的草坪上，卡卡发现了一个躺在地上一动不动的大型钢铁怪物，怪物的背部还有一个黄色按钮。“按下去试试吧。”卡卡自言自语道。

“系统正在重新启动。”声音从钢铁怪物体内发出，随后钢铁怪物调整了动作，居然自己站了起来，“你好，我是来自源星球的机器人拉比特。”

卡卡第一次见到机器人，他兴奋极了。“拉比特，你好，我叫卡卡！欢迎来到地球！”

拉比特体内发出“滋滋”的电流声，他没有感受到卡卡的热情，只是说：“我的身体似乎还没恢复，我需要留在这里一段时间。”

早上出门我和妈妈吵架了，正伤心来着！没想到后来我认识了机器人朋友，我好开心！
开心是什么？伤心又是什么？
你不知道开心吗？机器人没有情绪吗？
情绪是什么？

qíng xù yǒu bù tóng de wèi dào bǐ rú kāi xīn jiù xiàng chī dào tián tián de táng guǒ nán guò jiù xiàng chī dào kǔ sè de yào piàn dòng zuò yě kě yǐ dài biǎo qíng xù wǒ zài diàn shì shàng kàn dào yǒu de rén shēng qì shí huì shuāi dōng xi

“情绪有不同的味道，比如开心就像吃到甜甜的糖果，难过就像吃到苦涩的药片……动作也可以代表情绪，我在电视上看到有的人生气时会摔东西。”

kǎ kǎ yuè shuō yuè hùn luàn tā zěn me yě jiě shì bù qīng chu shén me shì qíng xù

卡卡越说越混乱，他怎么也解释不清楚什么是情绪。

zhè shí lā bǐ tè jiē dào le yuán xīng qiú fā chū de yí gè xīn rèn wu liǎo jiě dì qiú shàng rén lèi de qíng xù

这时，拉比特接到了源星球发出的一个新任务：了解地球上人类的情绪。

lā bǐ tè jué dìng xiān cóng zhè ge jī ji zhā zhā de dì qiú xiǎo hái shēn shàng kāi shǐ guān chá

拉比特决定先从这个叽叽喳喳的地球小孩身上开始观察。

## 写一写

如果你是卡卡，你会怎么给拉比特解释情绪是什么呢？

情绪是一阵风，
风吹过后，海面
就有了波浪。


## 你要做个机器人吗？

如果你可以选择，你想做一个有情绪的人，还是做一个没有情绪的机器人呢？为什么？想一想，和爸爸妈妈聊一聊吧。

# 情绪是什么

卡卡把拉比特带回家，他在房间走来走去，为怎么向拉比特解释情绪是什么而苦恼。突然，卡卡想到表哥送给自己的蓝牙音响，表哥说只要对着音响提问，音响就会回答。

卡卡拍了拍床头柜上的音响，对着它说：“小问小问，你知道情绪是什么吗？”

主人你好！
在每个人的身上，都存在这样一种神奇的力量，它可以让人精神焕发，也可以让人萎靡不振；它可以让人冷静，也可以让人暴躁。总之，它可以加强人类，也可以削弱人类，这种能让人类的感受产生变化的神奇力量，就是情绪。
简单来说，情绪是每个人的内心感受通过身体表现出来的状态。
人类的情绪复杂多样，最基本的四种情绪是：喜、怒、哀、惧。
情绪是无处不在、无时不在的，每个人都有情绪。
情绪也有好坏吗？

情绪没有好坏之分，只是情绪会影响人类的行为，行为产生的结果才有好坏之分。

所以，人类根据情绪引起的行为或行为的结果，把情绪划分为正面情绪和负面情绪两大类。

“原来是这样！谢谢小问！对了，我要给你介绍一个新朋友，它叫拉比特。”卡卡愉悦道。

虽然小问很耐心地回答，但依然用的是冷冰冰的语气，让人听了忍不住想笑。

“小问你和拉比特可真像。”卡卡笑倒在床铺上。而拉比特在地球上又多了一位朋友，这是件值得高兴的事。

# 情绪表现的三种形式

## 1 面部表情

指情绪发生时引起的面部肌肉变化模式，如高兴时面颊上提、嘴角上翘，厌恶时会撇嘴。

## 2 姿态表情

指用人的身体姿态、动作变化来表达不同的情绪，包括手势、姿势。

## 3 言语表情

指通过说话中的声调、节奏和速度变化来表达情绪，包括语音的高低、强弱、抑扬顿挫等。

# 抓住情绪娃娃

小朋友们，今天有一批情绪娃娃被装进了娃娃机里。每个娃娃代表着一种情绪，把你认识的情绪娃娃抓出来吧！

# 复杂的情绪

卡卡从房间出来，看到拉比特和爷爷都聚精会神地盯着电视。而且爷爷今天的状态似乎有点不一样，只见他坐姿笔挺，神情凝重，手里紧抓着遥控器，好像怕被人抢走。

卡卡以为是电视在播着特别精彩的节目，结果一看，明明放的是广告，卡卡疑惑了：“爷爷，拉比特，你们这是在干吗？”

yé ye rè qíng zhāo hu tā kǎ kǎ kuài lái péi yé ye kàn diàn shì
爷爷热情招呼他："卡卡，快来，陪爷爷看电视。"
lā bǐ tè lěng jìng huí dào wǒ zài péi yé ye děng jīn tiān de xīn wén jié mù
拉比特冷静回道："我在陪爷爷等今天的新闻节目。"
xīn wén jié mù yǒu shén me hǎo kàn de kǎ kǎ yí huò dào
"新闻节目有什么好看的？"卡卡疑惑道。
mā ma ná zhe yì bēi guǒ zhī cóng chú fáng zǒu chū lái yīn wèi yé ye shàng xīn wén
妈妈拿着一杯果汁从厨房走出来："因为爷爷上新闻
la yuán lái jīn tiān yé ye sàn bù shí jiē shòu le diàn shì tái de jiē tóu cǎi fǎng jì
啦！"原来，今天爷爷散步时接受了电视台的街头采访，记
zhě gào su tā zhè tiáo xīn wén wǎn shang jiù huì bō chū
者告诉他这条新闻晚上就会播出。

“爷爷，那你现在是什么心情？”

“我啊，能上电视当然很兴奋，但又有点担心，怕自己形象不好。唉！我今天应该穿那件新大褂出门……”打开话匣子的爷爷说个不停。

“怎么能有两种情绪混合呢？爷爷到底是在兴奋还是在担心啊？”卡卡疑惑道。

“爷爷是紧张啦！”妈妈说。

“紧张？为什么兴奋加担心在一起会变成紧张？拉比特，你知道为什么吗？啊，我忘了你都没有情绪！小问小问，你知道为什么吗？”

主人，紧张是一种复合情绪。20世
纪70年代，美国心理学家伊扎德提出情
绪分类理论，他认为人类的基本情绪有
11种，它们分别为兴趣、惊奇、痛苦、
厌恶、愉快、愤怒、恐惧、悲伤、害羞、
轻蔑和自罪感，而其他情绪称之为复合
情绪。

复合情绪就是这 11 种基本情绪的相加混合吗?

复合情绪还可以由基本情绪与人的身体感觉、感情认知混合而成。比如主人生病了，你对生病本来就感到恐惧，这时候身体又倍感疼痛，恐惧加上疼痛，会引出“不安”这种复合情绪。

原来是这样，那复合情绪有多少种呢？

复合情绪可有上百种呢。

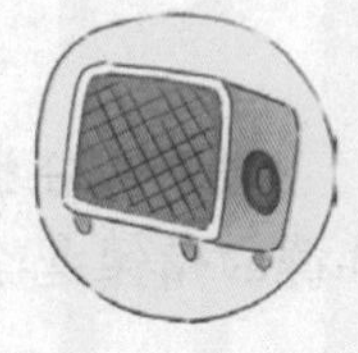

人类的情绪真复杂。

“爷爷你看，新闻开始了！”爷爷瞬间安静，一秒恢复端正姿态。卡卡还是第一次看到爷爷这么紧张。

# 情绪小球分类

做整理分类的小朋友都值得表扬！请把下面的情绪球球，按照伊扎德的情绪理论，分到基本情绪和复合情绪两个收纳盒吧！

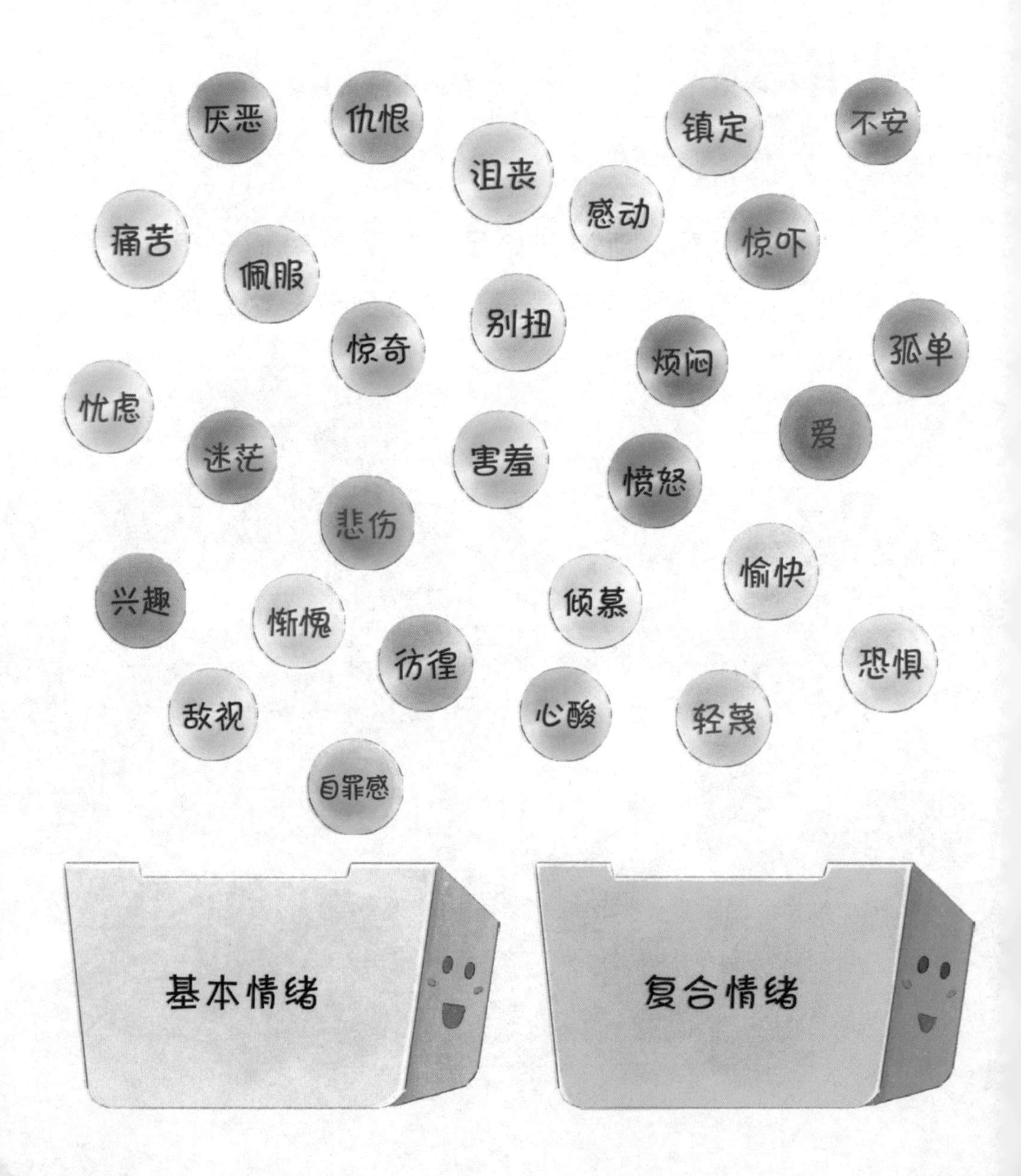

# 色彩情绪分类

如果伤感是浅蓝色，那么悲伤就像天蓝色，悲痛则是深蓝色。因为痛感的程度不一样，色彩的深度不断加重。请你仔细观察情绪色盘中每一种颜色和情绪词语之间的关系，把色盘外的情绪词语填入色盘中。

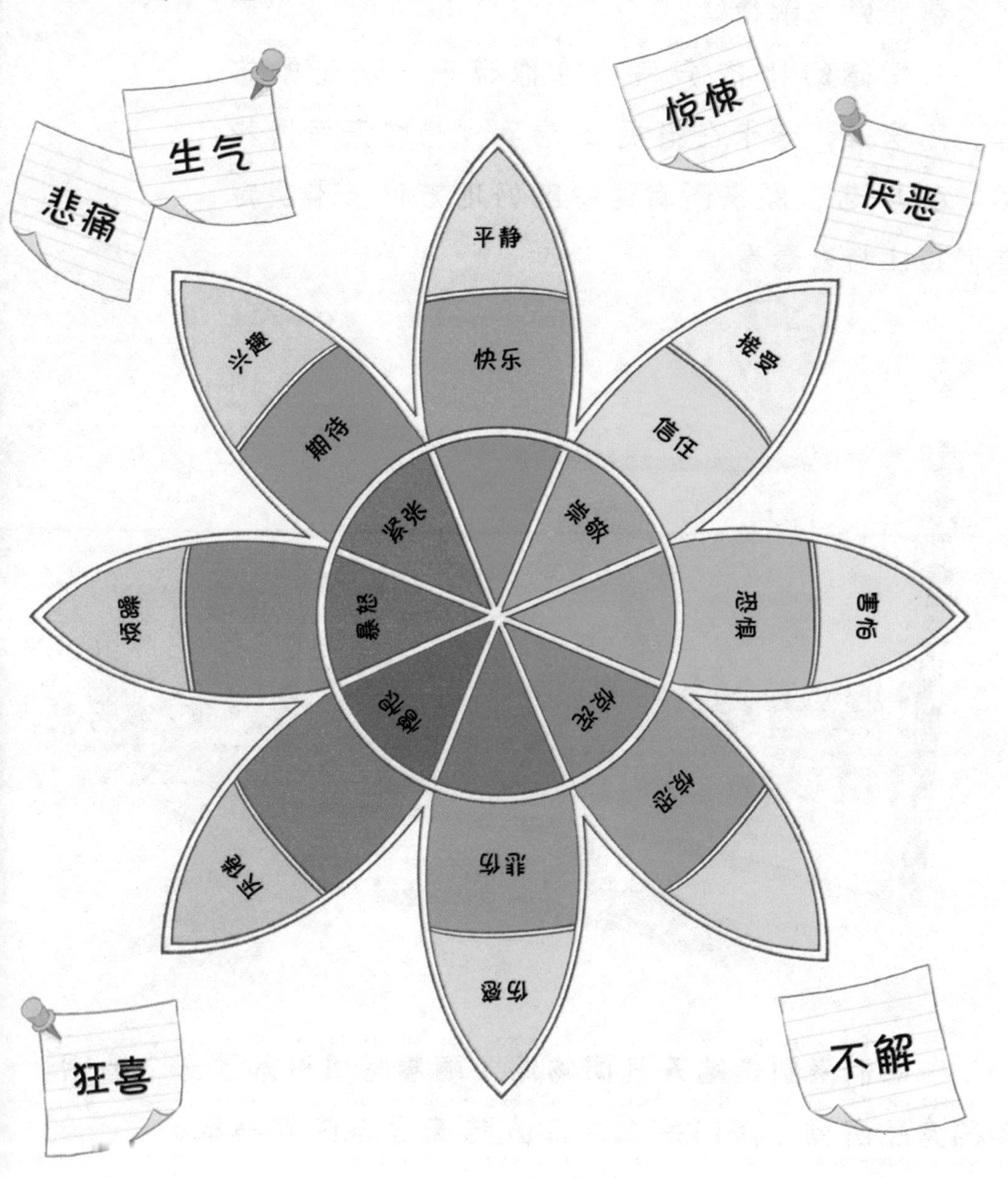

# 神奇的情绪天气

卡卡自从知道拉比特的任务后，就一直想着怎么帮他更了解情绪。

“情绪幻化成天气，给你带来一次奇妙旅程。”这天，卡卡在电视上看到“情绪天气博物馆”的广告，原来还有这样的好地方！卡卡决定要带拉比特去看看。

他们来到情绪天气博物馆，随着指引进入了一个透明的盒子房间。房门关上，耳边传来了系统播报声。

欢迎来到情绪天气博物馆。现在，你只要说出不同的情绪词语，这个空间就会发生奇妙的变化哦！

zhè me shén qí nà wǒ shì yí xià
“这么神奇，那我试一下！”

yuán běn hēi àn de fáng jiān chōng mǎn le yáng guāng yáng guāng zhào zài kǎ kǎ hé lā bǐ tè shēn shàng kǎ kǎ gǎn dào yòu nuǎn huo yòu shū fu tā bù yóu zì zhǔ de xiào le gǎn tàn dào kuài lè jiù xiàng yáng guāng yí yàng wēn nuǎn hé shū fu ya

原本黑暗的房间充满了阳光，阳光照在卡卡和拉比特身上，卡卡感到又暖和又舒服，他不由自主地笑了，感叹道：“快乐就像阳光一样温暖和舒服呀。”

fáng jiān tū rán xià qǐ le bào yǔ tiān a kǎ kǎ lín shī le yí qiè dōu zāo gāo tòu le kǎ kǎ hǎo xiǎng kū xīn lǐ xiǎng bēi shāng jiù xiàng xià gè bù tíng de bào yǔ a

房间突然下起了暴雨，天啊，卡卡淋湿了，一切都糟糕透了。卡卡好想哭，心里想：悲伤就像下个不停的暴雨啊。

雨停了，房间一片漆黑，耳边传来轰隆隆的声音，卡卡感觉自己呼吸都不顺畅了，手心在出汗，“害怕就像黑黑的夜晚！”

房间突然变热，红红的烈火在四周燃烧，卡卡的额头不停出汗，他想大吼大叫，“生气就像被大火燃烧啊！”

kǎ kǎ hé lā bǐ tè fā xiàn zhāo xiá pū mǎn le zhěng gè fáng jiān jīn càn càn
卡卡和拉比特发现朝霞铺满了整个房间，金灿灿
de shí fēn měi lì ràng rén xiǎng yǒng yuǎn tíng liú zài zhè yí kè kǎ kǎ zhè
的，十分美丽，让人想永远停留在这一刻，卡卡这
yàng xiǎng zhe xǐ huan jiù xiàng měi lì de zhāo xiá ya
样想着：喜欢就像美丽的朝霞呀！

tū rán yí zhèn lóng juǎn fēng guā lái zhāo xiá bú jiàn le fáng jiān
突然一阵龙卷风刮来，朝霞不见了，房间
lǐ yí piàn láng jí dōng xi dōu bèi chuī fān juǎn zǒu yàn wù jiù xiàng
里一片狼藉，东西都被吹翻卷走。“厌恶就像
yì cháng lóng juǎn fēng xiǎng bǎ yí qiè pò huài diào
一场龙卷风，想把一切破坏掉！”

随后卡卡和拉比特又说了不少情绪词语，过于神奇的体验让他们沉迷其中。

又过了一会儿，卡卡听到体验即将结束的系统提示音响起。无论是炽热的太阳，还是冷清的月亮，一下子什么都没了。回过神的他们还有点意犹未尽。

今天的情绪天气
体验之旅结束啦，请
离场。

# 画一画

如果情绪能看到，它长什么模样呢？在蓝色框里，画出你现在的情绪模样，也可以画身边的人现在的情绪模样哦！

# 情绪的颜色

每种情绪如果有颜色，你觉得它会是什么颜色呢？下面的每一朵花对应一种情绪，请为这些花涂上你认为最合适的颜色。

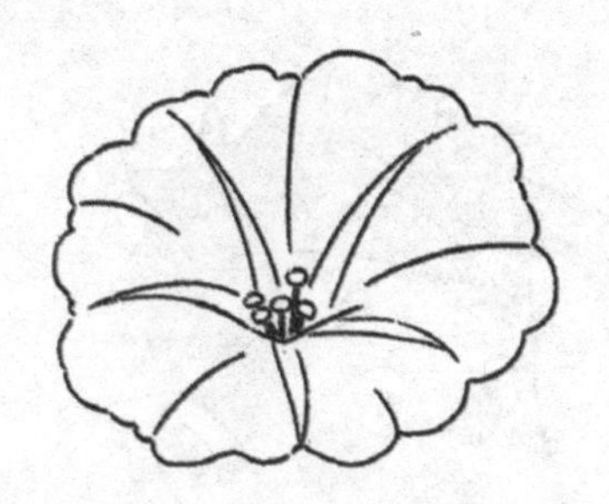

恐惧

紧张

害羞

内疚

兴奋

生气

快乐

难过

我能猜到你的情绪哦!
大家的情绪都长一个样子吗?

你现在是什么心情呢？

二

# 可以发现的情绪

哈姆已经连续三天这么安静地坐在小区的板凳上了。卡卡经过问道：“哈姆，这个时间你不是都和梅恩去踢球吗？”

“卡卡，不知道为什么，梅恩他不理我了！”哈姆伤心地回忆起三天前的事。

三天前……

“不如我们一起去新开的甜品店吧？”“好啊！”这天踢完球，小伙伴们热烈地讨论着接下来的活动，但一向热情的梅恩却拒绝了：“我早去过了，你们去吧。”

哈姆疑惑：“梅恩，你昨天不是说这家店没去过，下周想去试试吗？”

梅恩脸色一变：“那……那是你记错了！”说着他拿起书包准备走。

哈姆想到一件事：“梅恩，你是不是因为没有零花钱才不去？”

梅恩最近成绩下降，他爸爸停了他这周的零花钱，希望他少出去玩。小伙伴们知道缘由后纷纷嘲笑梅恩：“原来是被罚了啊！”

梅恩的表情更难看了，他冲哈姆大声喊：“我就是不想去！”然后转身跑走了。那天过后，梅恩就不理他了。

梅恩这是生气啦!

他为什么生气?
你怎么知道他生气了?

因为你把他不好的一面告诉了别人啊!哈姆,梅恩现在见到你是不是都皱着眉头、瞪着眼、紧闭双唇?

卡卡你真厉害,这都能猜出来。

哈姆,心理学家发现,很多情绪在人身上的表现都很相似,通过这些共同的特征,我们可以判断一个人是否产生了某种情绪哦。

“我最近收集了一些人类情绪的共同表现信号，我们以梅恩为例看一看。”拉比特展开了一块屏幕，梅恩出现了！

快乐让他嘴角上扬，笑得露出牙齿，眼睛弯起来，甚至手脚舞动。

生气让他眉头紧皱、眼睛死盯某处、双唇紧闭，甚至握紧了拳头，说话都很大声。

害怕时他会闭上眼睛、咬紧嘴唇、屏住呼吸，身体瑟瑟发抖，不敢大声讲话。

委屈的梅恩
遭别人欺负却被妈妈责备、说实话却让朋友不开心、约好了一起去玩却被伙伴爽约


梅恩感到委屈，委屈时梅恩会眼睛下拉、嘴巴嘟起、说话小心翼翼，甚至会默默流泪。

## 自卑的梅恩

看到别人考到好成绩、

踢球更好、长得更高大时

自卑让梅恩面对别人时眼神闪烁，不敢直视别人，说话吞吐，声音很小，心里不断地贬低自己。

## 得意的梅恩

被老师表扬了、

在比赛中得奖、

骑上新的自行车

得意让梅恩面露微笑、抬起下巴，眼睛特别有神采，他还会挺起胸膛、斜视他人。

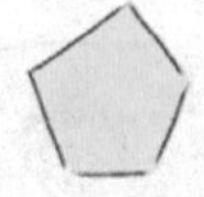

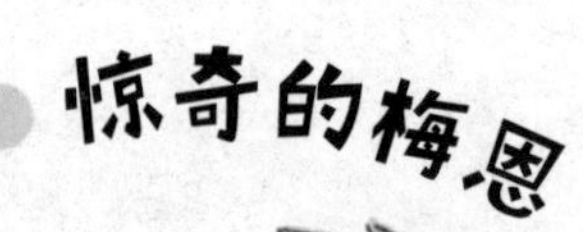

## 惊奇的梅恩

爸爸一大早起来做早餐、

家里的猫咪喜欢喝酸奶、

狗屋里居然会有语文书

惊奇时他睁大眼睛、张大嘴巴，一下子说不出话来。

## 伤心的梅恩

邻居的小仓鼠去世、

梅恩和奶奶分别、

朋友误会了梅恩

伤心时梅恩会两眼无光、嘴角向下拉、眼泪和鼻涕会控制不住地流出来。

hā mǔ shuō le zhè me duō nǐ xiàn zài zhī dào zì jǐ shì shén me xīn qíng ma kǎ kǎ wèn

“哈姆，说了这么多，你现在知道自己是什么心情吗？”卡卡问。

wǒ zhī dào wǒ shì wěi qu hé shāng xīn méi ēn shì zài shēng qì dàn wǒ bù xiǎng méi ēn jì xù shēng qì wǒ yě bù xiǎng jì xù shāng xīn le hā mǔ shuō

“我知道，我是委屈和伤心，梅恩是在生气！但我不想梅恩继续生气，我也不想继续伤心了。”哈姆说。

# 妹妹生气真可怕

mèi mei shú xi de shēng yīn zài ěr biān xiǎng qǐ hā mǔ hǎo bù róng yì zhēng yǎn kàn
妹妹熟悉的声音在耳边响起，哈姆好不容易睁眼看
le yí xià biǎo yòu xiàn rù chén shuì zhè yě bù néng guài hā mǔ zuó wǎn tā yì zhí
了一下表，又陷入沉睡。这也不能怪哈姆，昨晚他一直
zài xiǎng zěn me gěi méi ēn dào qiàn hěn wǎn cái rù shuì yǐ zhì wàng jì le yào zǎo qǐ
在想怎么给梅恩道歉，很晚才入睡，以致忘记了要早起
péi mèi mei wán de yuē dìng
陪妹妹玩的约定。

哥哥，起床啦！
说好的今天陪我堆积木呢！
哥哥，你再不起来我就生气了！

房间响起了奇怪的声音，吓得哈姆从梦中惊醒！只见三岁的妹妹坐在地板上，旁边是散落一地的积木块，那可是哈姆差一点点就堆完的积木城堡啊！这还不是最糟糕的，哈姆的毛毛熊也在空中飞舞，小汽车被扔到墙角，而小黄鸭正被妹妹踩在地上。

“你！在！干！吗！”哈姆朝妹妹大声吼道。

听到哥哥的质问，妹妹撇撇嘴号啕大哭：“都是你的错，因为你不起床才会这样的！”话刚说完，妹妹又扑倒在床上，边哭边对着被子“拳打脚踢”。

“哈姆，妹妹怎么了？”妈妈的声音从厨房传来。

hā mǔ jué dìng chū qù duǒ yí xià tā chuān zhe shuì yī pǎo dào duì miàn kǎ kǎ jiā bǎ zǎo shang fā shēng de shì gào su kǎ kǎ hòu rěn bú zhù tǔ cáo

哈姆决定出去躲一下，他穿着睡衣跑到对面卡卡家，把早上发生的事告诉卡卡后，忍不住吐槽：

mèi mei bù jǐn yǒu zuó tiān nǐ shuō de nà xiē biǎo qíng tè zhēng tā hái gǎo pò huài luàn rēng dōng xi tā hái xiǎng sī wǒ de màn huà shū

“妹妹不仅有昨天你说的那些表情特征，她还搞破坏、乱扔东西！她还想撕我的漫画书！”

这是妹妹生气时候的一些宣泄行为。情绪除了通过表情、肢体动作、声音展现外，有时还要发泄到其他事物和活动上，这样才能让情绪得到排解和舒缓，自己也能得到别人的关注。

“通过一些特征明显的活动，我们还可以反向推断一个人的情绪哦！”卡卡摸了摸下巴。

“比如很多人会在开心的时候唱歌，如果某天你在路上见到梅恩哼着歌，他那天的心情应该不错。但如果你见到他在对着树‘拳打脚踢’，说不定他正为某件事生气，你说对吗？”

“人的行为活动也能表达情绪！”哈姆和拉比特发出了感叹，又长知识了。

# 好玩的情绪表达

不同的人产生的不同的情绪，会通过不同的行为活动进行发泄释放。请代入下面的情景，按照每个场景的红字进行操作互动，感受一下这些特别的情绪到来的时候，大家一般会做些什么吧！

1
爸爸宣布这周末要一家人去郊游，我兴奋极了，就想——
围着家里跑两圈！
2
今天老师表扬了我，还奖励了我一朵小红花，我特别开心——
回家路上大声哼着这首好听的歌谣：
“我有一只小毛驴／我从来也不骑……”

3

今天家里停电了，四面的风吹来，我却听不到半点其他的声音，我太害怕了，于是——

尖叫着找到妈妈，让妈妈给我一个拥抱。

4

要参加朗诵比赛了，上台前的我十分紧张，手心不停地出汗，紧张让我——

打开水杯不停地喝水，心里一直默念“没问题的！我一定没问题的！”

5

最近看动漫，我喜欢上了网球。对网球产生了浓厚兴趣的我——

围着爸爸转，
希望他帮我找到更多
关于网球的动画片和书籍。

6

本来和同学约好了一起去听这周末的天文学讲座，但是同学不去了，我很失望——

在操场上走了一圈又一圈，
不想和别人说话。

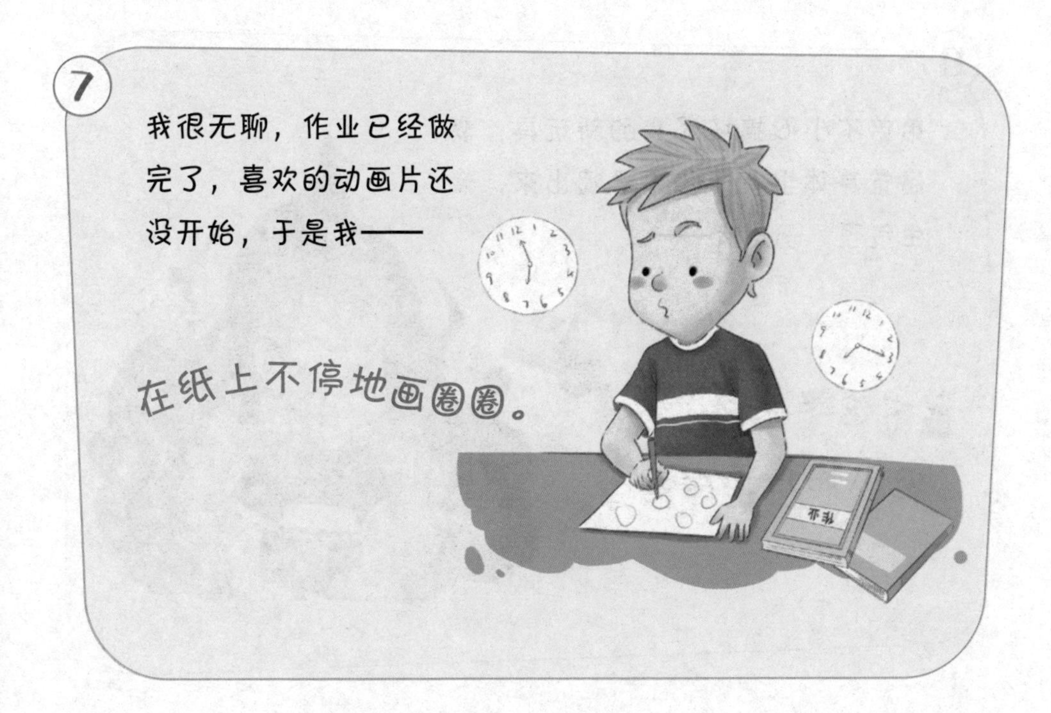

7
我很无聊，作业已经做完了，喜欢的动画片还没开始，于是我——
在纸上不停地画圈圈。
作业

请在下方空白处画圈圈。

8
弟弟不小心搞坏了我的新玩具，我
感觉身体里有一团火要喷出来，我
生气了，于是我——
撕下这半张纸，
把纸撕得很碎很碎。


请沿此线撕下这半张纸，试试撕碎它。

9

同桌转学了，看着旁边空荡荡的课桌，我感到很伤心，我——

特别想哭，

我决定去以前和他常去的甜品店吃东西，安慰自己。

10

老师说试卷的最后一道题特别难，问有谁能回答，我发现这题我会，于是我特别自信——

举起了手，

主动回答这道题目。

# 情绪查询表

当你不了解自己或者他人是什么情绪的时候，可以查一下这个表哦！

| 情绪名称 | 面部表情 | 肢体动作 | 语音语调 | 此时想要做的活动（发泄手段） |
| --- | --- | --- | --- | --- |
| 快乐 | 嘴角上扬，甚至笑得露出牙齿，眼睛会弯起来 | 手脚舞动 | 声音很大、音调很高 | 大声唱歌，跳舞、奔跑 |
| 生气 | 眉头紧皱、眼睛紧盯一处、双唇紧闭，甚至还会哭 | 握紧拳头 | 说话音量很大，声调特别高昂 | 破坏物品，想要用力踹打某处 |
| 害怕 | 闭上眼睛、咬紧嘴唇、屏住呼吸 | 手脚颤抖 | 声音很细、很小，声音会颤抖，甚至不敢发出声音 | 想要找爸爸妈妈，想要别人给予拥抱，想要躲在大人后面 |
| 委屈 | 眼睛下拉、嘴巴嘟起、呼吸急促，而且会有短暂的呼吸不顺 | 抓紧某个东西，比如衣角 | 说话小心翼翼，语速放慢，又低又细 | 严重时会默默流泪，不想被人发现 |
| 自卑 | 眼神闪烁，不敢直视别人，脸红心慌 | 双手紧握，低头看地，逃避他人视线 | 声音细小，说话吞吐 | 想躲在一个角落，不被人找到；想去看海、爬山，但是只想一个人去 |

## 续表

| 情绪名称 | 面部表情 | 肢体动作 | 语音语调 | 此时想要做的活动（发泄手段） |
| --- | --- | --- | --- | --- |
| 得意 | 微笑，眼睛特别有神采，斜视他人 | 挺胸、头抬高、翘脚 | 声调高昂，声音响亮，语调尖锐 | 想把令自己得意的事情告诉全世界 |
| 惊奇 | 睁大眼睛、张大嘴巴 | 双手打开，放置嘴边，或者抓住自己的头发 | 会短暂失语，声调变高、音量变大 | 想去靠近事情，想去了解真相 |
| 伤心 | 眼神放空、两眼无光，嘴角向下拉，甚至眼泪、鼻涕一起流 | 双手环抱自己 | 声音很细很低沉 | 大哭，想吃甜食 |
| 讨厌 | 眉毛、鼻子皱起，上嘴唇上扬，眯眼 | 转过脸不想看别人，双手伸开，拒绝靠近 | 声音响亮，语气坚决、充满嫌弃 | 转身跑开远离 |
| 自信 | 笑容灿烂、眼神坚定明亮 | 挺胸抬头，站姿直挺 | 声调高昂，音调尖细，语气笃定，充满快乐 | 想在舞台展示自己 |

为什么你开心的时候，
我却很难过？

所有人的情绪都一样吗？

三

# 接受情绪多样性

# 奇怪的兄弟

下雨了，卡卡一脸伤心，因为他不能出去玩了。但妈妈很开心，妈妈说："下雨就能凉快些了！"对此拉比特感到迷惑，同一件事，为什么他们会有不同的情绪呢？

"拉比特，我们出发啦！"只见卡卡拿了一个大大的袋子，拉比特没多问，和卡卡一起出门了。

lóu shàng zhù zhe yí duì shuāng bāo tāi xiōng dì jīn tiān shì tā men de shēng rì
楼上住着一对双胞胎兄弟，今天是他们的生日，
kǎ kǎ shōu dào le cān jiā shēng rì pài duì de yāo qǐng
卡卡收到了参加生日派对的邀请。

zhè duì xiōng dì hěn qí guài
这对兄弟很奇怪。

gē ge tè bié xǐ huan kū xià yǔ le huì kū mā ma méi huí jiā huì kū
哥哥特别喜欢哭，下雨了会哭、妈妈没回家会哭、
chéng jì bù hǎo huì kū yíng le yóu xì yě kū dàn dì di què tè bié xǐ huan xiào
成绩不好会哭，赢了游戏也哭。但弟弟却特别喜欢笑，
xià yǔ le huì xiào shū le yóu xì huì xiào mā ma chū chāi tā yě huì xiào
下雨了会笑、输了游戏会笑，妈妈出差他也会笑。

一进门，卡卡先送上他精心准备的礼物。哥哥拆开礼物，发现是个猪猪存钱罐，竟然一下子哭了。

卡卡有点不知所措，他想：“难道是我送的礼物太糟糕，惹哥哥哭了？”卡卡在一边自责，也变得不开心。

换好衣服的弟弟走过来，拆开礼物。“哇！”只听弟弟开心地欢呼道，“太棒了！”

弟弟跑来抱住了卡卡：“卡卡，我发誓在这一年里我要把存钱罐存满，然后我就能买冰激凌请大家吃，到时候大家都会高兴的。我还可以买我喜欢的机器人……”

看着弟弟高兴，卡卡也开心了起来。

dàn shì gē ge wèi shén me huì kū ne
但是哥哥为什么会哭呢？
yuán lái gē ge jué de zì jǐ de qián tài shǎo le bù zhī
原来，哥哥觉得自己的钱太少了，不知
dào shén me shí hou cái néng bǎ cún qián guàn cún mǎn xiǎng dào zhè gē
道什么时候才能把存钱罐存满，想到这，哥
ge jiù kū le
哥就哭了。

## 互动问答

1. 为什么送同样的礼物，哥哥会哭，而弟弟却很高兴？
2. 卡卡的礼物送错了吗？如果你是卡卡，你能劝说哥哥变高兴吗？要怎么说呢？

lā bǐ tè wèn yù dào tóng yàng de shì qing wèi shén me bù tóng de rén huì chǎn shēng wán quán bù yí yàng de qíng xù fǎn yìng
拉比特问："遇到同样的事情，为什么不同的人会产生完全不一样的情绪反应？"

yé ye gāng sàn bù huí lái zhèng hǎo lái jiě dá lā bǐ tè de yí wèn yīn wèi qíng xù shì yì zhǒng gè rén de gǎn jué měi gè rén dōu shì dú lì de gè tǐ xiǎng fǎ bù yí yàng suǒ yǐ qíng xù fǎn yìng yě huì bù yí yàng bǐ rú yǒu rén kàn dào qíng tiān huì hěn kuài lè yīn wèi tā xiǎng dào kě yǐ chū qù wán yǒu de rén què huì hěn fán zào yīn wèi tā jué de qíng tiān hěn rè shì bú shì hěn shén qí
爷爷刚散步回来，正好来解答拉比特的疑问："因为情绪是一种个人的感觉，每个人都是独立的个体，想法不一样，所以情绪反应也会不一样。比如有人看到晴天会很快乐，因为他想到可以出去玩；有的人却会很烦躁，因为他觉得晴天很热。是不是很神奇？"

lā bǐ tè diǎn le diǎn tóu hǎo xiàng yǒu diǎn dǒng le
拉比特点了点头，好像有点懂了。

jīn tiān hā mǔ hé tóng xué men yì qǐ qù yóu lè chǎng guò shān
今天哈姆和同学们一起去游乐场。过山
chē hǎi dào chuán dà bǎi chuí xiǎng dào zhè me duō cì jī de
车、海盗船、大摆锤……想到这么多刺激的
xiàng mù hā mǔ tè bié xīng fèn dàn huā huā tóng xué kàn qǐ lái bú shì
项目，哈姆特别兴奋，但花花同学看起来不是
hěn gāo xìng de yàng zi
很高兴的样子。

dà jiā kě yǐ jié bàn qù wán la jì de diǎn jí hé
“大家可以结伴去玩啦，记得4点集合
ò lǎo shī ná zhe xiǎo lǎ ba xuān bù jiě sàn hòu hā mǔ lì kè
哦！”老师拿着小喇叭宣布解散后，哈姆立刻
lā zhe huā huā qù guò shān chē xiàng mù chù pái duì
拉着花花去过山车项目处排队。

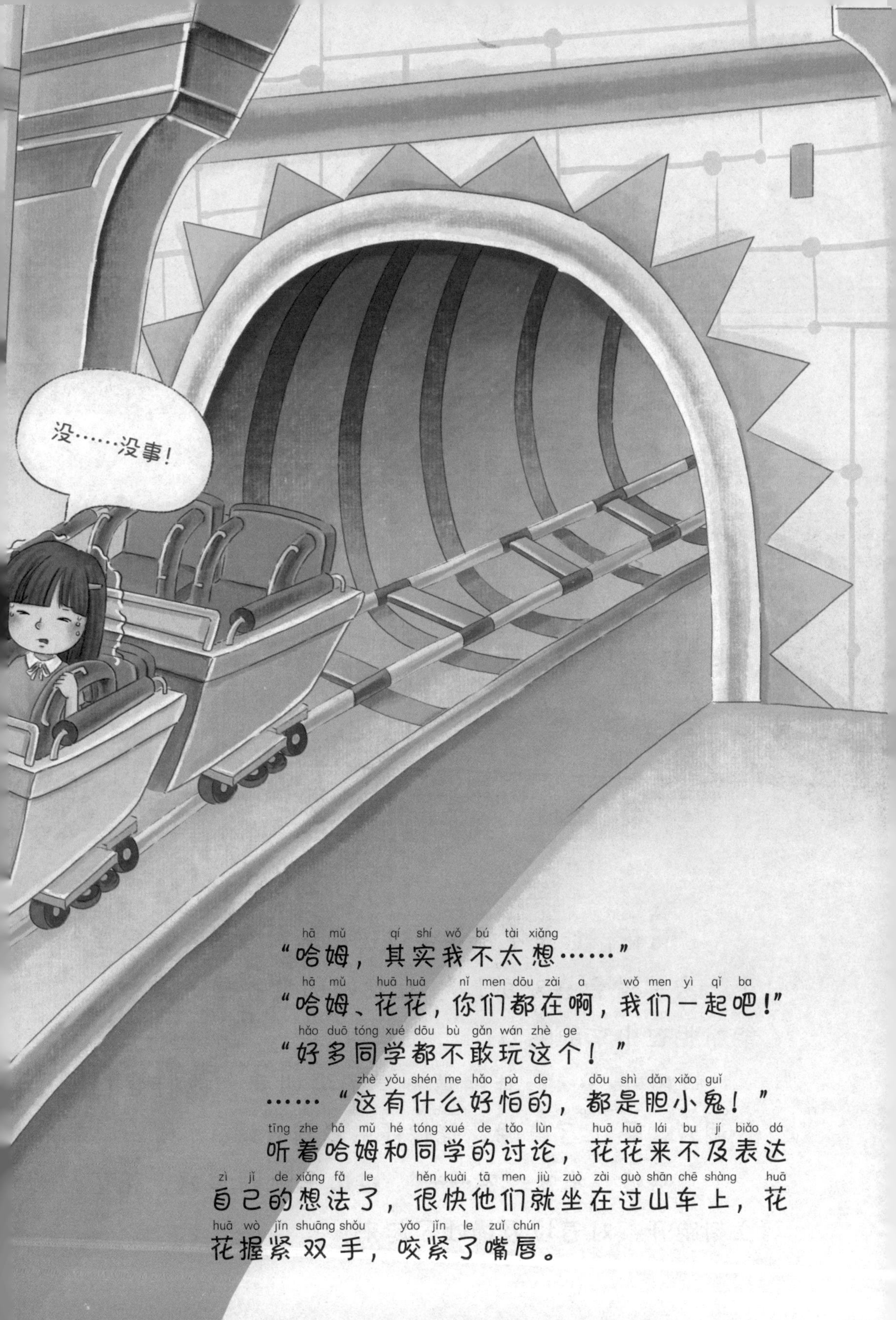


“哈姆，其实我不太想……”

“哈姆、花花，你们都在啊，我们一起吧！”

“好多同学都不敢玩这个！”

……“这有什么好怕的，都是胆小鬼！”

听着哈姆和同学的讨论，花花来不及表达自己的想法了，很快他们就坐在过山车上，花花握紧双手，咬紧了嘴唇。

“花花，你是不是没坐过过山车？没关系，只要坐一次你就会喜欢的！”在哈姆的世界里，没有人能抗拒过山车的魅力！

“呀呼……”伴随着响亮的尖叫声，他们穿过了洞穴，攀上了高峰，恍惚还触摸到云端。

“咯咚、咯咚、呜——”过山车刚刚停好，花花立刻跑开，对着垃圾桶吐了起来。

老师赶紧扶花花坐凳子上休息。

“花花原来也是个胆小鬼啊！”哈姆在旁边喃喃自语，花花听到后眼泪都要掉下来了。

“花花只是不喜欢过山车，这不代表她是胆小鬼哦。”老师对着哈姆认真说道。

“如果是你讨厌或者害怕的事情，花花硬拉着你去做，你会开心吗？”

哈姆摇头：“老师我知道了，我应该尊重花花不喜欢坐过山车的权利。”

“花花，对不起。”哈姆认真地道歉。

## 互动问答

1. 你有没有遇到过类似的情况，当朋友拉着你做你不喜欢的事情时，你是什么感受？可以把你的想法写下来或者画出来。
2. 如果你是花花，你会怎么处理这件事情呢？

hā mǔ hé kǎ kǎ tí qǐ zhè jiàn shì gǎn tàn dào yuán lái ràng zì jǐ
哈姆和卡卡提起这件事，感叹道：“原来让自己
huān xǐ hé kuài lè de dōng xi bié rén yě xǔ huì gǎn dào kǒng jù hé hài pà a
欢喜和快乐的东西，别人也许会感到恐惧和害怕啊！”

怪不得在人类的电视上常常听到，要学会站在别人的角度看事情，才能理解别人的情绪！
人和人之间的情绪，实在太不一样了！

# 观察TA的情绪

通过两个小故事，我们会发现每个人的情绪都是有所不同的。你能通过前面学习的情绪表现特征，观察身边的亲人朋友，发现他们当下的情绪吗？把他们的表现记录在表格中，推测他们现在是什么情绪吧。

| 观察对象 | 具体时间 | 面部表情 | 肢体动作 | 语音语调 | 情绪判断 |
| --- | --- | --- | --- | --- | --- |
| 爸爸 | | | | | |
| 妈妈 | | | | | |
| 邻居 | | | | | |
| 同桌 | | | | | |

# 你比我猜

把下面的情绪圆牌剪下来，和小伙伴一起来玩吧。规则：两名小伙伴为一队，其中一人抽牌，把牌子上的情绪通过面部表情和肢体动作演绎出来，另一位小伙伴猜出队友演绎的情绪。每组有30秒答题时间，比比看哪一队猜得最多。

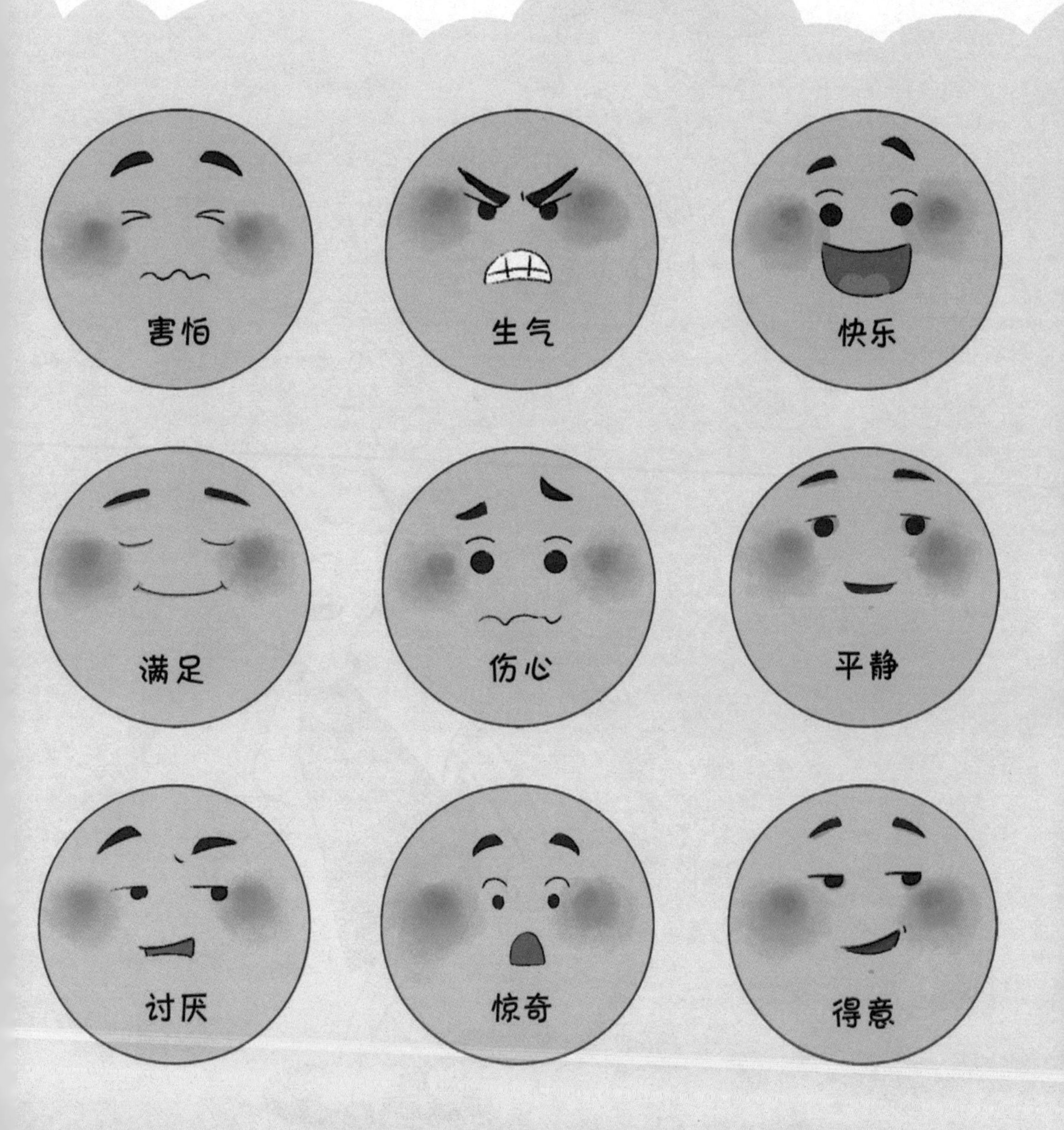

负面情绪要丢掉吗？

负面情绪要怎么处理比较好？

情绪有好坏之分吗？

# 四 情绪释放有妙招！

卡卡正忙碌地收拾书包，明天要和爸爸妈妈去野餐，卡卡兴奋极了！

这时，爸爸带着一脸歉意站在卡卡的房间外：“卡卡，明天爸爸临时出差，对不起，要失约了！等我下周回来咱们再去，好不好？”

bù hǎo zěn me néng shuō bú qù jiù bú qù kǎ kǎ
“不好！怎么能说不去就不去？”卡卡
yǎn kuàng hóng hóng de yí xià zi bǎ fáng mén guān shàng suí hòu fáng·jiān
眼眶红红的，一下子把房门关上，随后房间
lǐ chuán lái pī li pā lā de xiǎng shēng
里传来“噼里啪啦”的响声。

bà ba yě xī wàng qù jiāo yóu zhè bú shì gāng hǎo yù dào jǐn
“爸爸也希望去郊游，这不是刚好遇到紧
jí zhuàng kuàng ma bà ba lüè dài wěi qu de shuō dào
急状况嘛。”爸爸略带委屈地说道。

nǐ xīn kǔ le gǎn jǐn qù shōu shi xíng li ba mā ma
“你辛苦了，赶紧去收拾行李吧！”妈妈
chū shēng ān wèi bà ba
出声安慰爸爸。

卡卡眼泪还在眼眶里打转，听到爸妈的对话后，他一脸不解地问：“拉比特，我听爸爸的语气，感觉他也不想去出差。难道他不喜欢现在的工作？”

“现在的工作，是爸爸妈妈自己喜欢的。”妈妈拿着一个盒子进来了，她摸了摸卡卡的头，“工作让我们的本领得到展示，有机会帮助更多的人，同时还能获得一定的奖励和报酬，这些时候，工作都会让我们开心。”卡卡听到这更不解了。

“但工作和生活，都不会只产生某一种或某一方面的情绪。”妈妈耐心地解释，“我们也不可避免会遇到些让人烦恼和难过的事情，比如工作时要去外地出差、要和同事竞争、要反复修改一个文件……”

“那工作中，遇到不开心的事情也要接受吗？”卡卡觉得这样的大人真惨。

“碰上烦恼和难过，妈妈有情绪魔法盒可以帮忙吃掉呀！”妈妈举着一个盒子。

去呀，因为碰上烦恼时，妈妈有情绪魔法盒，它可以帮忙吃掉烦恼。
那妈妈，你和爸爸遇到特别烦恼的工作也必须去吗？

chī diào qíng xù de mó fǎ hé kǎ kǎ tíng zhǐ le kū qì mǎn
“吃掉情绪的魔法盒？”卡卡停止了哭泣，满
liǎn yí wèn
脸疑问。

nǐ yǒu shén me qíng xù xiǎng bèi chī diào ne
“你有什么情绪想被吃掉呢？”

kǎ kǎ xiǎng dào zhī qián hé tóng zhuō chǎo le yí cì jià nà zhī hòu tóng zhuō
卡卡想到之前和同桌吵了一次架，那之后同桌
bú zài hé tā shuō huà le hái yǒu yǎn jiǎng bǐ sài tā zài wǔ tái shàng jǐn zhāng
不再和他说话了。还有演讲比赛，他在舞台上紧张
jí le shǒu xīn chū hàn liǎn zhàng de tōng hóng shēn tǐ kòng zhì bú zhù de fā
极了，手心出汗，脸涨得通红，身体控制不住地发
dǒu lìng wài tā hái yīn wèi pà hēi bù gǎn yí gè rén shuì jiào zhè yǒu diǎn
抖。另外，他还因为怕黑不敢一个人睡觉，这有点
diū liǎn
丢脸。

“这些情绪让我感觉不舒服，有时候想哭，有时候想躲起来，有时候还想大吼大叫，当我遇到这些情绪时，我好像变成了另外一个人。”

“这些都是负面情绪，但是这些负面情绪也可以帮助我们哦。”

妈妈刚刚工作的时候，因为粗心大意导致负责的事情出了问题，妈妈当时很伤心和愧疚。为了下次不再出现这样的错误，我让情绪魔法盒帮忙吃掉“伤心”，而愧疚让我更小心更认真地工作，慢慢地我养成了细心检查的好习惯，从而更好地完成工作。你看，负面情绪是不是也有好处？

# 我的心情日记

请你记录下今天特别的心情吧！如果还不会用文字表达，可以说出你的想法，让爸爸妈妈帮忙记录。

| 时间 | 发生事件 | 我的表现（表情、肢体、语言） | 我的心情（心情好坏程度） | 我的想法 | 画出这一刻的心情头像 |
| --- | --- | --- | --- | --- | --- |
| 早上7时 | 我不想起床，被爸爸拉出了被窝。 | 我对爸爸大喊大叫，说了“不要”“我不喜欢爸爸了”这些话。 | 有点生气和不开心。 | 妈妈说过不要对喜欢的人随便大吼大叫，我好像做错了。 | |
| | | | | | |
| | | | | | |

# 神奇的情绪魔法盒

“妈妈，负面情绪可以不用管吗？那生气来了，我也不用赶走它？是吗？”卡卡又问。

“当然不是。负面情绪可以让人变得更好，也可以让人变得更坏。首先，我们不要排斥它！要学会排解、转化它，这就是妈妈说的魔法啦。”

kǎ kǎ ná qǐ xiě zhe shēng qì de zhǐ tiáo bǎ tā duì zhé fàng jìn hé
卡卡拿起写着“生气”的纸条，把它对折放进盒
zi lǐ dāng dāng dāng jǐ miǎo guò hòu hé zi lǐ tán chū yì zhāng kǎ
子里。“铛铛铛”，几秒过后，盒子里弹出一张卡
piàn kǎ kǎ kàn wán hā hā dà xiào yuán lái shì kǎ piàn shàng xiě le yí gè hǎo
片，卡卡看完哈哈大笑，原来是卡片上写了一个好
xiào de xiào hua
笑的笑话。

卡卡又把写着“失望”的字条放进盒子里。几秒过后，盒子里又弹出一张卡片，卡片上写着：“打开电视调到111台，说不定会有惊喜呢！”

卡卡立刻打开了电视，没想到自己喜欢的动画片今天居然更新了一集，片头曲响起，卡卡瞬间蹦了起来，他太开心了。

卡卡发现，他再也不害怕负面情绪的到来了，因为他有情绪魔法盒啊。魔法盒弹出的卡片有时候是笑话，有时候是让卡卡做一些小游戏，有时候还会教卡卡一些小技能……好神奇！

# 我的情绪魔法盒

## 情绪魔法盒① 短暂逃避，做自己喜欢的事

你最喜欢的一部漫画是什么呢？你最喜欢的一款游戏、一部动画片、一部电影、一首歌、一支舞蹈又是什么呢？可能你更喜欢看书、下棋、弹钢琴、逛公园……先列出十件平常能让自己开心的事情，当你情绪不好的时候，可以把这些事情挑几件来做一次。

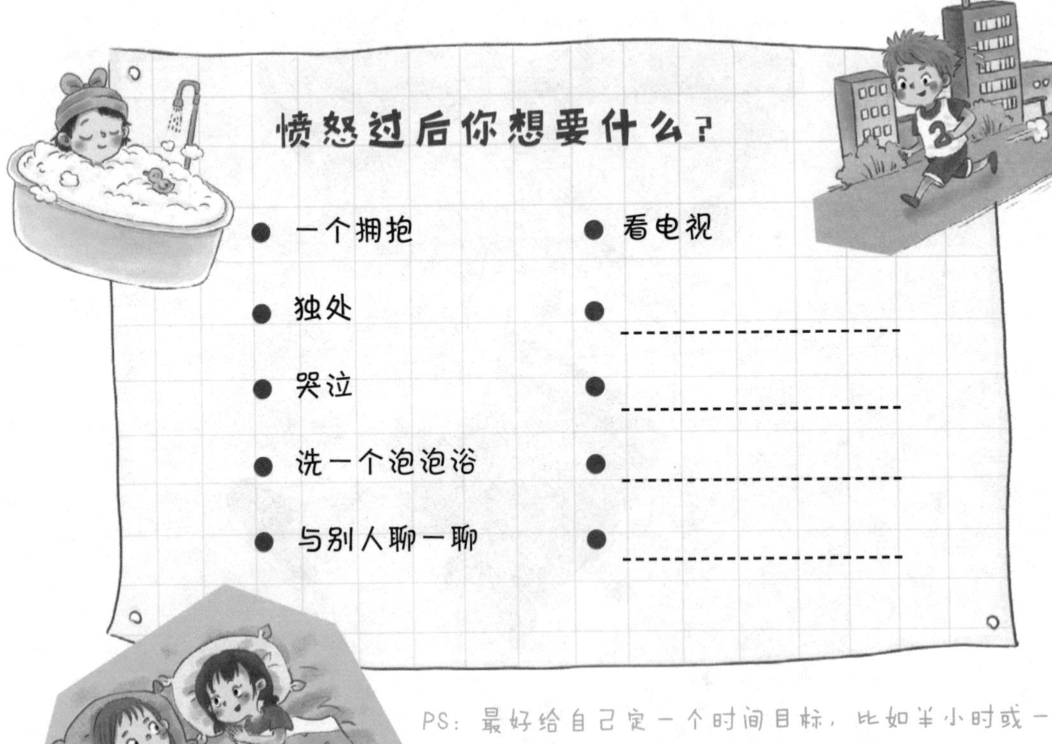

### 愤怒过后你想要什么？

- 一个拥抱
- 独处
- 哭泣
- 洗一个泡泡浴
- 与别人聊一聊
- 看电视
- ____________________
- ____________________
- ____________________
- ____________________

PS：最好给自己定一个时间目标，比如半小时或一小时来做这些开心的事情。当你心情开始变好了，就要及时停止。因为这只是短暂的逃避，让自己情绪得以缓和，但学习和生活中的难题和麻烦还是要勇敢面对才能解决的。

# 情绪魔法盒2 语言表达的技巧

当你遇到负面情绪时，先不着急立刻表达自己的情绪，因为语言表达也是有技巧的，先问自己三个问题，分析自己的情绪，再去正确表达你的诉求：

| -思考- | | -表达- |
|---|---|---|
| (1) 对方做的事情或者表现是什么？ | → | “我”看到的对方的行为和表现 |
| (2) 对方这样做，给“我”的感觉是什么？ | → | “我”的内心情绪表达 |
| (3)“我”希望对方可以怎么做？ | → | 非常具体、完善地表达出“我”的需要 |

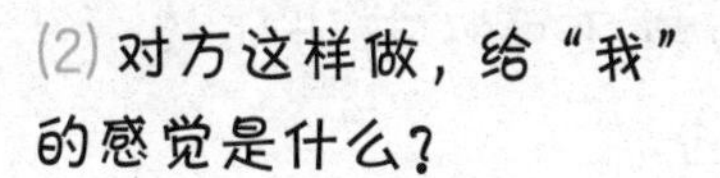

**比如：**

(1) 爸爸最近一个月晚上都很晚回家。（对方的行为）

(2) 我一个人待着，我觉得很孤独。（我的内心情绪）

(3) 爸爸你看看有没有可能不要那么晚回家，或者我们周末的时候找一点时间在一起。（我希望你怎么做）

# 情绪格子游戏

当负面情绪来临的时候，可以找家长或者小伙伴陪你一起玩情绪格子游戏。

游戏说明：

1 准备一个骰子以及四颗棋子，每颗棋子有不同的标签，分别代表不同的游戏玩家。

2 游戏玩家选择其中一颗棋子代表自己，统一从起点出发。玩家轮流掷骰子，掷到的数字代表自己的棋子可以前进几格。跳进特殊格子可按箭头和梯子指示跳跃前进。

3 当棋子跳入绿色的格子，玩家需要说出让自己烦心的一件事。而下一个跳到红格子的人，要为进到绿格子的玩家的烦心事提出一个解决办法。

4 谁先到达终点谁获胜。

终点
起点

## 情绪魔法盒4 与宠物一起玩

如果你家养了小宠物，当负面情绪来临时，给自己十分钟的时间，和它们一起玩，或者伸手摸摸它们的毛发，这能够有效地缓解负面情绪。别忘了要在父母的陪同下才可以哦！

## 情绪魔法盒5 运动一场吧

打篮球、乒乓球、羽毛球，跑步，练跆拳道……找一项喜欢的运动，让自己出一身汗，忧郁竟然能减半。这是因为体育锻炼能直接给人带来愉快和喜悦，降低紧张和不安。另外，运动可以转移注意力，让人从负面的情绪中解脱出来。

# 情绪魔法盒6 把坏情绪写下来

美国心理学会曾经提出一个“把烦恼写出来”的减压方法，实验证明，用书写方式把压力和烦恼记下来并持续6周，6周以后人的心态就会变得积极起来。你想试试这神奇的游戏吗？

当你产生某种负面情绪时，模仿下表中的例子，记录下具体的事情、想法、反应和后果，慢慢感受记录情绪的魔力吧。

| 例子 | 想法 | 反应 | 后果（感觉） |
| --- | --- | --- | --- |
| 妈妈命令我不要玩电子游戏。 | 我还没准备要停下来。 | 回答妈妈说：“不！我还在玩，我想玩多久就玩多久。” | 妈妈非常生气，把电源插头拔掉了。我也很生气。 |
|  |  |  |  |
|  |  |  |  |
|  |  |  |  |

写在最后：只要你找到适合自己的方法，你也可以制作自己专属的情绪魔法盒。

情绪原来很美好？

怎么处理糟糕情绪带来的问题呢？

大家都有糟糕情绪吗？

# 五 怎么调整情绪呢？

kǎ kǎ dài zhe lā bǐ tè lái dào xué xiào de yí zuò xiǎo lóu qián zhǐ jiàn dà mén
卡卡带着拉比特来到学校的一座小楼前，只见大门
kǒu guà zhe yí gè pái zi zāo gāo qíng xù chǔ lǐ shì
口挂着一个牌子：糟糕情绪处理室。

zhè shì xué xiào xīn chéng lì de yí gè huó dòng shì yù dào qíng xù nán tí de tóng
这是学校新成立的一个活动室，遇到情绪难题的同
xué kě yǐ dào zhè lǐ xún qiú lǎo shī de bāng zhù jīn tiān kǎ kǎ hé lā bǐ tè zuò wéi
学可以到这里寻求老师的帮助。今天卡卡和拉比特作为
qíng xù lǎo shī xiǎo zhù shǒu yì qǐ wèi tóng xué pái yōu jiě nàn
情绪老师小助手，一起为同学排忧解难。

## 情绪档案1

姓名：倩倩

性别：女

年级：二年级

求助问题：被同学们嘲笑，害怕一个人睡觉。

具体情况：

倩倩和好朋友吵架了，之后好朋友把倩倩晚上不敢自己一个人睡觉的事情告诉了其他同学，现在班里的同学都嘲笑倩倩，说倩倩是胆小鬼。

倩倩对大家的嘲笑感到十分伤心，她想勇敢一点，尝试一个人睡觉，但心里还是有点害怕，要怎么样才能让自己改变呢？

害怕一个人睡觉，通常是因为自己对黑夜没有足够的安全感，会想得太多。

像我关灯前就会反反复复对自己说“不害怕不害怕”，然后用妈妈教我的方法，开始数星星，数着数着，不知不觉就睡着了。

倩倩面对的主要是两个问题：一个是如何面对同学们的嘲笑，另一个是如何让自己不害怕一个人睡觉。

## 解决被嘲笑的方法

- 嘲笑是一种不好的行为，要及时阻止。可以认真告诉对方当你听到嘲笑会不开心，希望对方能够停止这样的行为。

- 如果对方不停止，你可以向老师或者家人寻求帮助，让大人出面解决。

## 解决害怕一个人睡的建议

- 睡前不要做剧烈的运动和玩激烈兴奋的游戏，避免大脑太过活跃导致失眠或产生过多幻想。

- 睡前可以请爸爸妈妈讲故事或者放点轻松的音乐。请爸爸妈妈等你入睡后再关灯离开。

- 睡前可以喝一杯热牛奶助眠，或者抱着你最喜欢的玩偶入睡。

## 情绪档案2

姓名：峰峰

性别：男

年级：二年级

求助问题：想要知道好朋友石头为什么伤害新同学。

具体情况：

新同学迈克性格热情开朗，班上的同学都喜欢和他玩，峰峰也不例外，但他的好朋友石头却不喜欢迈克，也不愿和他们一起玩。

这天体育课，迈克捡球时不小心和石头碰了一下，石头就把球砸向了迈克，还对迈克说：“虚伪的人，抢我的朋友！”

事后峰峰劝石头去道歉，石头怎么都不肯。

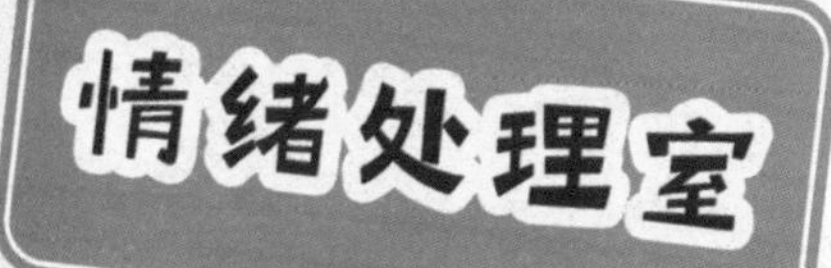

# 情绪处理室

嫉妒是一种人与人之间的不良关系的体现，由于怨恨或者察觉到别人享有的利益，他想将其占为己有，因而产生的一种情绪和心态。现在看来，石头是嫉妒迈克的好人缘，还担心迈克和峰峰的关系越来越好，自己被抛弃。

## 老师的小建议

峰峰需要及时和石头沟通，多多赞赏石头，让他感觉到自己在他心里的重要性。另外还有几个自我消除嫉妒心理的小贴士：

- 勇于承认别人比自己强，找到更适合自己的位置。
- 学会多夸赞自己。
- 可以适当地转移注意力，做运动、看书、看动画……做些自己喜欢的事。不要把自己困在嫉妒、担忧等负面情绪上。

## 情绪档案3

姓名：茉莉
性别：女
年级：三年级

求助问题：太过害羞，害怕舞台。

具体情况：

茉莉是个很害羞的孩子。从小到大，她只有可可一个朋友。

所以茉莉唱歌特别好听这件事，也只有可可知道。

学校即将举办唱歌比赛，可可为茉莉争取了一个表演名额。茉莉一想到自己要上舞台，在密密麻麻的人群前表演，就会不自觉地紧张，呼吸变得急促，冷汗直流。因为这件事，茉莉每天过得很煎熬，她甚至都不能好好上课，更别提练歌了。

情绪处理室
我们可以找一个舞台多排练几遍，先熟悉流程和环境。还可以请好朋友或者在台下摆上布娃娃当观众，看看自己能不能顺利演出！上台前，不停深呼吸，适当喝水也可以调整紧张情绪！这些都是我在书里看到的方法！

qíng xù lǎo shī hā hā dà xiào biān xiào biān shuō kǎ kǎ de fāng fǎ zhēn bú cuò
情绪老师哈哈大笑，边笑边说：“卡卡的方法真不错！”
lā bǐ tè suī rán tīng bú tài dǒng dàn yě bù fáng ài tā wèi kǎ kǎ shù qǐ dà mǔ zhǐ
拉比特虽然听不太懂，但也不妨碍他为卡卡竖起大拇指。

## 给茉莉不自信的小建议

- 平常多尝试多表现。在一些小型的聚会活动或家庭聚餐上多说话、多表演，进行胆量锻炼。

- 像卡卡说的，把观众和面对的群体，想象成为不会动不会思考的东西，就可以慢慢地忽略别人的看法。
- 不要忘记表扬自己。每次表现完，不管别人怎么说，都要对自己说至少10句表扬的话。
- 告诉家长、老师、朋友自己的担心，疏解压力，还可以让别人给予你更多鼓励和力量。

## 情绪档案4

姓名：南枫
性别：男
年级：二年级

求助问题：自己很容易生气，同学、朋友都躲着自己。

具体情况：

同学不小心撞到南枫的桌子，南枫生气；朋友忘记提醒南枫及时交作业，南枫也生气；家里的狗狗不听话，南枫还生气……南枫就像个喷火龙，随时随地会喷火。

他生气不仅会对别人大声说话，偶尔还会扔东西。但是南枫消气也很快，只是消气后，不知道该如何同别人和好。看着同学们远离自己，南枫很是着急。

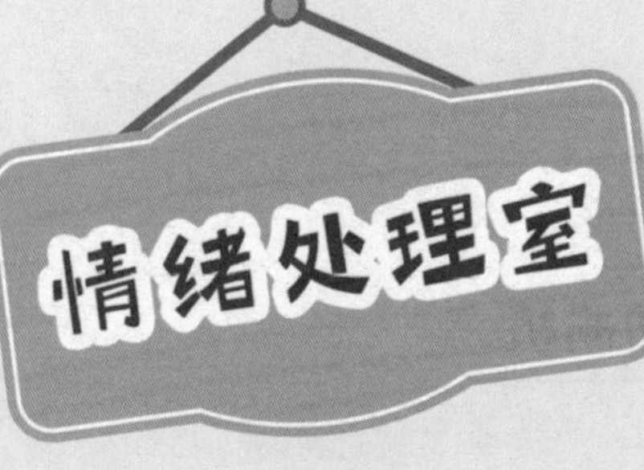
情绪处理室

他真像我一个朋友，总是喜欢生气。
那你们也不和他玩了吗？

没有，我们都知道他其实很好，所以他每次生气我们就叫他一起去打球，只要一打球他就忘记生气了！是不是很神奇？

解决生气的方法有很多，卡卡说的也不失为一个好方法，找一件自己喜欢的事情做，先转移自己的注意力，情绪就会缓和很多。

## 下面的方法也可以帮助南枳

- 经常保持微笑。大家都喜欢爱笑的人，多笑一笑，肯定能吸引同学向你靠近。
- 生气的时候，先别急着大喊大叫，先深呼吸，或者喝口水缓和一下。学会换位思考。如果对方是不小心的，那么你也希望因为不小心被别人骂吗？
- 你还可以找朋友、爸妈、老师等人，说说你的烦恼和生气的原因，让别人给你提提意见。

对于生气难过，适当的宣泄是需要的，你还可以找到一个属于自己的树洞或者没有人的地方大喊大叫，但不要把生气的情绪随便对别人发泄哦。

## 情绪档案5

姓名：艾米
性别：女
年级：一年级

求助问题：受欺负了不知道该怎么办，自己很委屈。

具体情况：

课间操时间，艾米在楼梯口被一个高年级的大哥哥拦住，大哥哥特别凶地问她拿钱，她不敢不给。于是艾米没钱买习题册了。

艾米怕大哥哥再次找她麻烦，不敢向老师和妈妈说这件事，最后老师和妈妈都以为艾米买玩具花光了钱，艾米感到委屈，躲在房间偷偷哭了好几次。

情绪处理室

卡卡，遇到这样的
事情你会害怕吗？

当然，不过爸爸说遇到危险要告诉老师或
者警察叔叔。如果是我，我肯定先去找老师。
另外我有手表，遇到紧急情况可以按上面的一
个按钮，爸爸说他会及时来帮我呢！

高年级的哥哥问艾米拿钱是不
对的，这件事一定要告诉学校的老
师和家里的大人们，让他们去处理。
不要害怕，勇敢地向妈妈说出心里
的想法，相信妈妈会理解的。
坏人

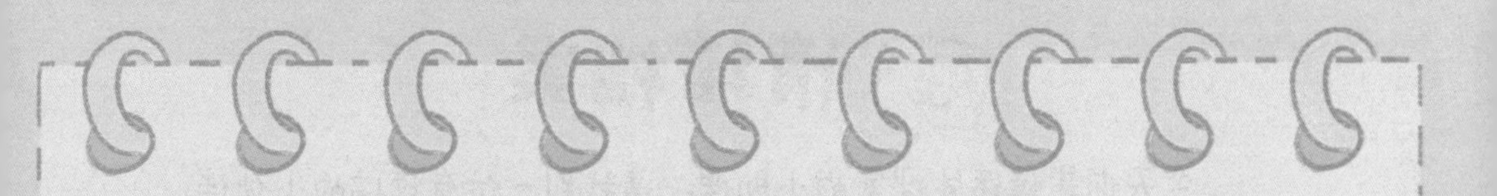

## 遇到危险或被欺负时，我们还可以这样做

- 无论遇到什么事情，都可以深呼吸，让自己先保持冷静。
- 如果能够逃离，那就尝试能不能借用身边的人和物帮助自己离开。
- 如果实力相差太大，无法逃开，那就要勇敢面对。保持头脑清醒，不要过分紧张和愤怒，不要激怒攻击者，特殊情况下可适当迎合对方的要求以拖延时间，寻找逃脱的机会。
- 事情过去后，一定要及时告知大人，请求他们的帮助。

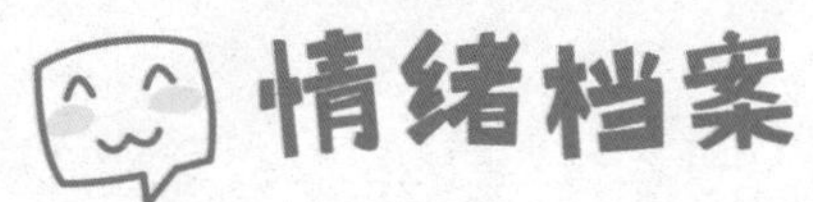

# 情绪档案

今天你是情绪处理室的小助理。请找到一位有烦恼的小伙伴，在下面的情绪档案表格中，记录下他的情绪问题，并且给出你的诊断结果和解决方法吧。

## 情绪档案

姓名：______

性别：______

年级：______

年龄：______

当前情绪画像

求助问题：

具体情况：

你的诊断：

你的建议：

后续跟进：

从情绪处理室出来，天已经黑了，能帮到别人，又能更进一步地了解情绪，这是件很开心的事，但只有卡卡一个人在笑。拉比特突然有了一种陌生的感受，他喜欢看到卡卡的笑容，喜欢看到人类的笑容，甚至他也想拥有这样的表情，这是拉比特以前从未体会过的。

lā bǐ tè tū rán shōu dào le yuán xīng qiú chuán lái de xìn hào lā bǐ tè
拉比特突然收到了源星球传来的信号：“拉比特，
nǐ de rèn wu yǐ wán chéng xī wàng nǐ jǐn zǎo huí guī
你的任务已完成，希望你尽早回归。”

lā bǐ tè shōu dào xì tǒng de zhào huàn hòu tā bīng lěng de gāng tiě shēn tǐ lǐ
拉比特收到系统的召唤后，他冰冷的钢铁身体里
chuān guò yì gǔ mò shēng de diàn liú tā tū rán yǒu diǎn bù xiǎng lí kāi dì qiú le
穿过一股陌生的电流，他突然有点不想离开地球了。

卡卡，谢谢你让我感受到人类情绪的奇妙。虽然人类的情绪很多变，还有那么多负面情绪，但人类总能很好地处理情绪问题，让自己变得更好。这一切都很神奇。

嘿嘿，其实和你在一起的这段时间也让我学会了好多，妈妈还夸我长大了，因为我学会了更好地管理自己的情绪。

拉比特点头：“卡卡，我要回源星球了。”卡卡没反应过来，一脸震惊：“你要走了？”
是的，卡卡不要难过。虽然我离开了，但我会继续学习人类的情绪，等我再回来看你时，我就能体会你的开心、不舍，成为你更好的伙伴。

拉比特连伤心的情绪都没办法体会，而自己，可以随便体会各种情绪，自己多么幸运啊。卡卡突然没那么伤心了，同时他也从拉比特的话中感受到了温暖。

这时云层裂开，天空中出现了一艘小飞船，一束光照在前面的草坪上，卡卡知道拉比特要走了。

卡卡不想留给拉比特自己丑丑的哭脸，他努力挤出一个灿烂的微笑，朝拉比特用力地挥挥手。